TIRANOSSAURO-REX

O TIRANOSSAURO-REX TINHA DENTES
PONTIAGUDOS E SERRILHADOS.

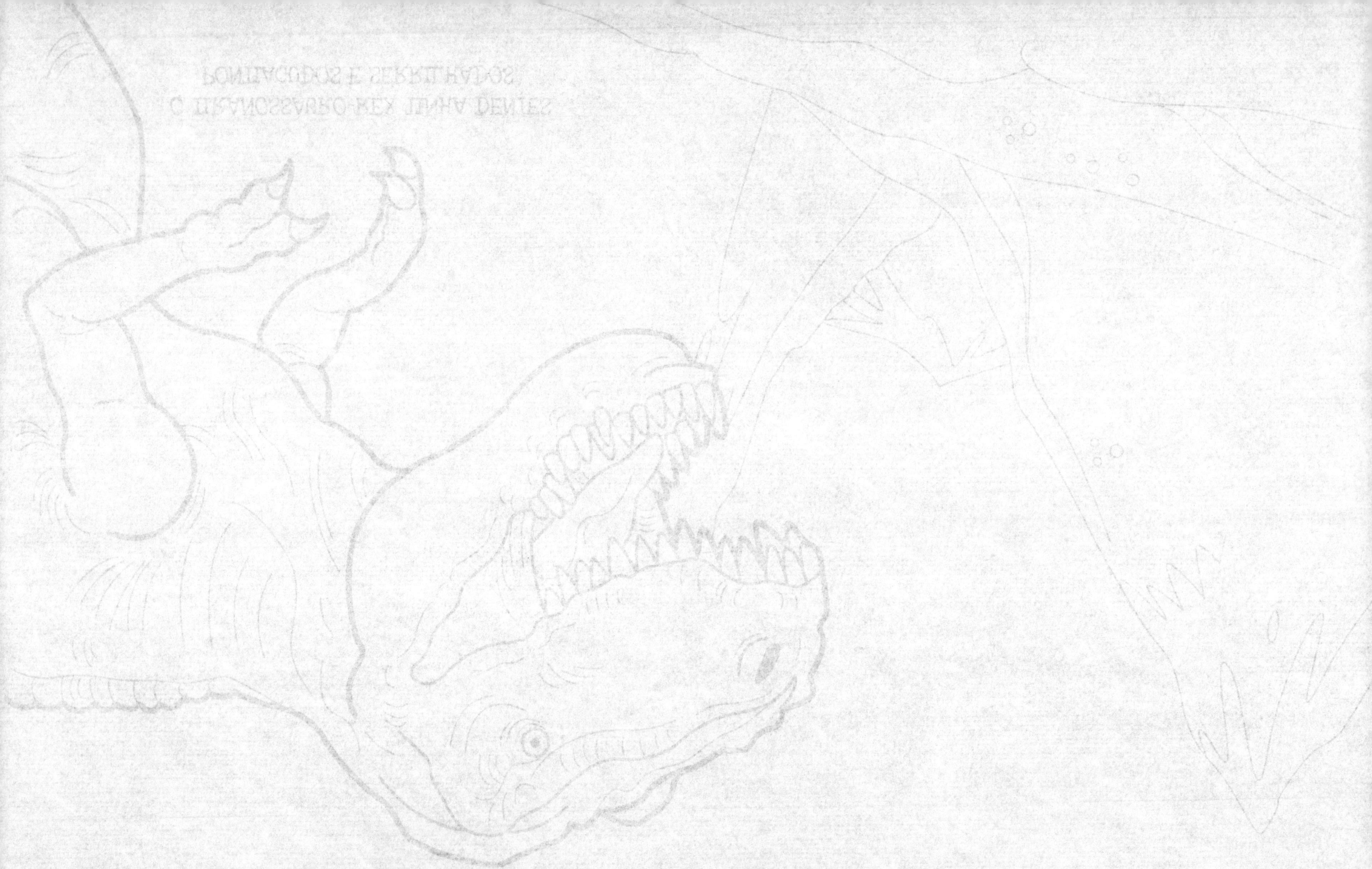

VELOCIRRAPTOR

O VELOCIRRAPTOR TINHA 1,80 METRO DE COMPRIMENTO E PESAVA APROXIMADAMENTE 20 QUILOS.

TRICERÁTOPO

A CABEÇA DO TRICERÁTOPO ERA UMA DAS MAIORES ENTRE OS DINOSSAUROS E POSSUÍA TRÊS CHIFRES.

ESPINOSSAURO

O ESPINOSSAURO ERA UM
GRANDE CARNÍVORO E POSSUÍA
UMA CRISTA NO DORSO.

ALOSSAURO

O ALOSSAURO POSSUÍA DENTES AFIADOS, GARRAS E DOIS PEQUENOS CHIFRES ACIMA DOS OLHOS.

ESTEGOSSAURO

O NOME ESTEGOSSAURO SIGNIFICA "LAGARTO TELHADO", POR CAUSA DAS ENORMES PLACAS ÓSSEAS DE SUAS COSTAS.

DIPLODOCO

DIPLODOCO

O DIPLODOCO MEDIA APROXIMADAMENTE 25 METROS DE COMPRIMENTO E 5 METROS DE ALTURA, E PESAVA CERCA DE 12 TONELADAS.

BRAQUIOSSAURO

O BRAQUIOSSAURO TINHA UM LONGO PESCOÇO.

IGUANODONTE

O IGUANODONTE VIVIA EM BANDOS.

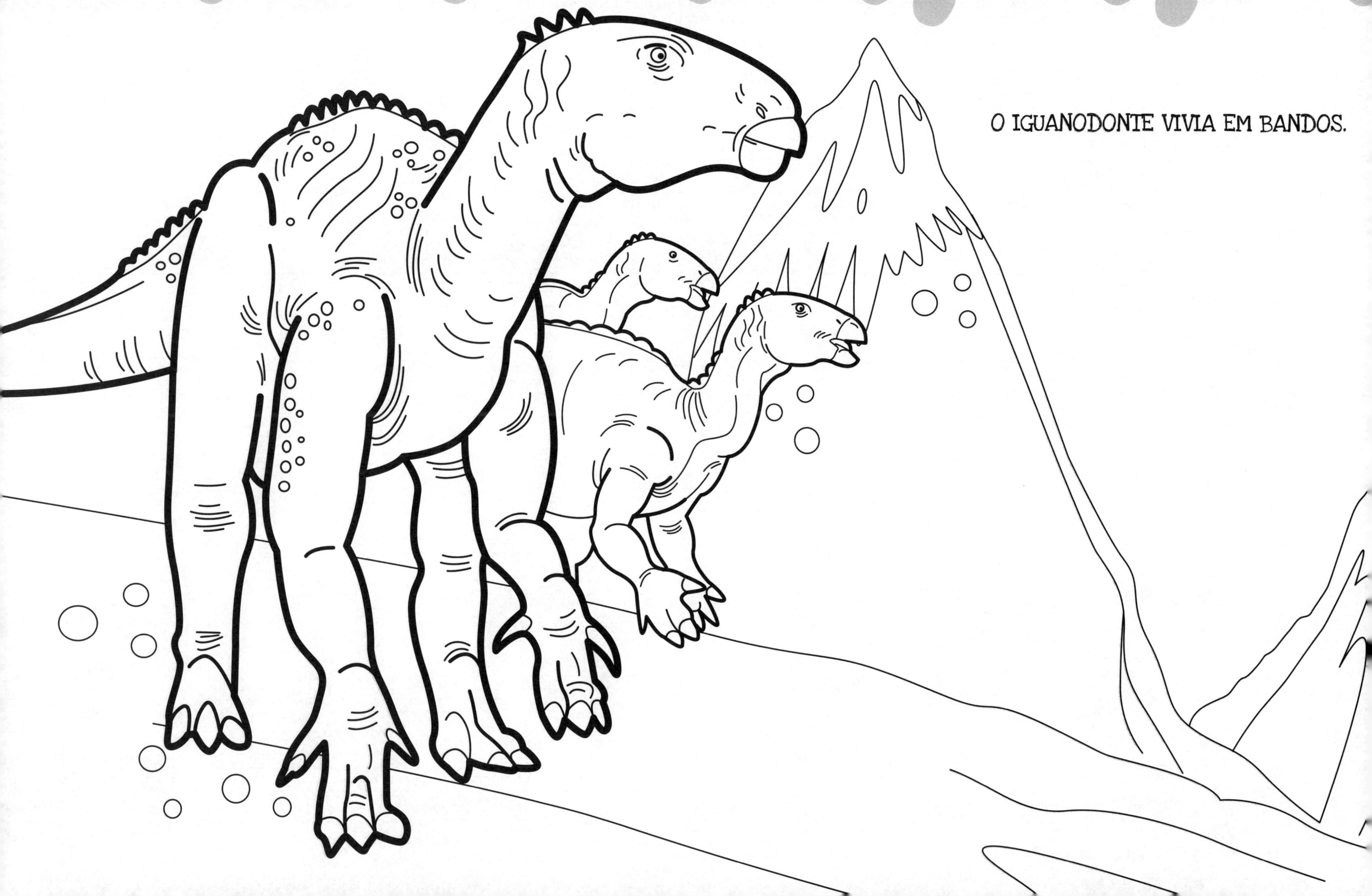

DILOFOSSAURO

O DILOFOSSAURO SE DESTACAVA
PELA CRISTA NA CABEÇA.

PARASSAUROLOFO

O PARASSAUROLOFO USAVA A CRISTA PARA EMITIR SONS.

EDMONTONIA

O EDMONTONIA TINHA UMA
ARMADURA DE CASCOS.